KB103567

의료기기 유지관리 실무자를 위한

병원 의공실무 용어집

Biomedical engineering terminology
in medical center

김기태 지음

의료기기 유지관리 담당자를 위한

병원 의공실무 용어집

발 행 | 2024년 05월 30일
저 자 | 김기태
펴낸이 | 한건희
펴낸곳 | 주식회사 부크크
출판사등록 | 2014.07.15.(제2014-16호)
주   소 | 서울특별시 금천구 가산디지털1로 119 SK트윈타워 A동 305호
전 화 | 1670-8316
이메일 | info@bookk.co.kr

ISBN | 979-11-410-8610-7

www.bookk.co.kr

저자소개

2004~2024년 | (현)건국대학교병원 의공학팀 팀장
2024~2024년 | (현)스마트의료보안포럼 스마트헬스&의료기기
            분과장
2020~2024년 | (현)서울특별시 공공의료재단/서울의료원
            의료기기 심의위원
2020~2024년 | (현)한국의료기기안전정보원 의료기기
            전문위원회 위원
2016~2021년 | (전)대한의공협회 학술이사
2019~2021년 | (전)식품의약품안전처 혁신의료기기 심의위원
2006~2012년 | (전)을지대학교 의료공학과 강사
1995~2004년 | (전)서울아산병원 의공학팀

의료기기 유지관리 실무자를 위한

병원 의공실무 용어집

Biomedical engineering terminology
in medical center

김기태 지음

CONTENT

의료기기는 환자의 생명과 직결되는 중요한 장비입니다. 이러한 의료기기를 안전하고 효과적으로 관리하는 것은 의료기관에 종사하는 의공기사들의 핵심 책임 중 하나입니다. 하지만 의료기기 관리에 필요한 전문 용어와 개념들이 산재해 있어, 병원 간의 상호 소통에 있어 어려움을 겪는 경우가 많습니다.

이에 본 "의료기기 유지관리 용어집"은 의료기관 내 의료기기 관리자들의 업무 수행을 돕고자 28년간 의료현장에서 실제 주로 많이 사용했던 용어와 사례 중심으로 출판 기획 되었습니다. 이 용어집에는 의료기기 유지관리에 필요한 핵심 용어와 개념들이 체계적으로 정리되어 있으며, 각 용어에 대한 상세한 설명도 함께 담았습니다.

의료기기 관리의 핵심은 안전성과 효과성의 확보입니다. 이를 위해서는 관리자들의 전문성 향상이 필수적입니다. 본 용어집이 의료기기 관리자들의 역량 강화에 기여하여, 환자 안전과 의료서비스의 질 향상으로 이어지기를 기대합니다.

1. 주요 기술(Major Technology) 용어

o 의료기기(Medical Device) : 진단, 예방, 모니터링, 치료 또는 질병의 완화에 사용되며, 질병의 진단이나 치료에 직접적으로 영향을 미치는 기구, 장치, 기계, 소프트웨어 등을 포함. 인체에 약물을 투여하는 기구나 인체의 구조나 기능을 대체, 회복, 수정하는 데 사용되는 제품을 포함할 수 있음. 단순한 도구에서 복잡한 컴퓨터 시스템에 이르기까지 폭넓게 포함하고 다양함. (A Medical Device is used for the diagnosis, prevention, monitoring, treatment, or alleviation of diseases and directly impacts the diagnosis or treatment of diseases. It includes instruments, devices, machines, software, etc., that may be used to administer drugs to the body or to replace, restore, or modify the structure or function of the body. It ranges from simple tools to complex computer systems.)

o 의료장비(Medical Equipment) : 병원이나 클리닉과 같은 의료 환경에서 사용되는 더 크고, 종종 고정된 의료장비(이식형 의료기기, 일회용 의료기기, 소모품, 개인 및 가정용 의료기기는 제외)를 지칭하는 데 사용. 진단 장비, 치료 장비, 생명유지 장비 등을 포함, 일반적으로 특정 의료 절차를 위해 설계되고 제작된 더 큰 규모의 장비를 의미. 일반적인 의료기기(Medical Device) 중 교정, 유지관리, 수리, 사용자교육 및 폐기 등 의공학 기술자의 지원 및 관리가 필요한 중요 의료기기를 말함. (Medical Equipment refers to larger and often stationary equipment used in medical environments such as hospitals or clinics. This includes diagnostic equipment, therapeutic equipment, and life-support equipment. It generally signifies larger-scale equipment that is designed and manufactured for specific medical procedures. Among the general category of medical devices, it denotes critical medical equipment that requires the support and management of biomedical engineers.)

설명: (1) 실제 의료기관 현장에서 의료기기(Medical device)라는 용어와 의료장비(Medical equipment)라는 용어를 혼용하여 사용하는 경우가 많이 있습니다.. 이는 의료기관마다 해당부서의 업무영역(의료기기 vs 의료장비)이 다르기 때문입니다. (2) 예를 들어서 'A' 의료기관의 의공부서에서는 청진기, 일반환자침대 등 의료기기(Medical device)를 관리하고 'B' 의료기관의 의공부서에서는 일회용 의료기기, 단순 의료기기 등을 제외한 순수한 의료장비(Medical equipment)를 관리하는 경우가 있습니다.

comments : (1) In actual healthcare settings, the terms "medical device" and "medical equipment" are often used interchangeably. This is because the scope of responsibilities of the respective departments (medical device vs. medical equipment) may vary across different healthcare institutions. (2) For example, in the biomedical engineering department of 'Hospital A', they may manage medical devices such as stethoscopes and patient beds, while in the biomedical engineering department of 'Hospital B', they may manage only medical equipment, excluding single-use and simple medical devices.

o 구성품(Component): 의료기기를 구성하는 각 부품 또는 물품. (The individual components or items that make up a medical device/equipment.)

o 설치(Installation): 의료기기를 설치하고 작동할 수 있도록 준비하는 과정 (Process of setting up medical device/equipment to make it operational).

o 인수검사(Acceptance inspection) : 최초 인수(예: 새 장비의 입고검사)후 또는 기타 서비스 활용(예:주요수리, 수정 또는 정밀검사) 후 장치를 사용하기 전에 적절하게 수행되는 세부적인 검사 (A detailed INSPECTION performed before a device/equipment is put into use either after initial receipt (i.e., the incoming inspection of new device/equipment) or following other service activities (e.g., a major REPAIR, MODIFICATION, or OVERHAUL) as appropriate.)

o 작동 시험(Operational Test): 의료기기가 정상적으로 작동하는지 확인하는 테스트. (Testing to confirm that medical device/equipment operates normally.)

o 기능 시험(Functional Test): 의료기기의 각 기능이 올바르게 작동하는지 확인하는 시험. (Testing to verify each function of medical device/equipment works correctly.

o 안전성 평가(Safety Assessment): 의료기기가 사용자 및 환자에게 안전한지 평가하는 과정 (Process of evaluating the safety of medical device/equipment for users and patients).

o 유지보수(Maintenance): 의료기기가 제대로 작동하도록 정기적으로 수행하는 활동. (Activities regularly performed to ensure that a medical device/equipment operates correctly. ACCEPTANCE INSPECTION, CALIBRATION, INSPECTION, MODIFICATION, OVERHAULS, PREVENTIVE MAINTENANCE, and REPAIR.)

설명 : 유지보수와 서비스는 서로 바꿔서 사용할 수 있는 용어입니다 Comment: MAINTENANCE and SERVICE are interchangeable terms.

o 고장(Failure) : 성능이나 안전 요구 사항을 충족하지 못하는 상태 및/또는 물리적 무결성을 위반하는 상태입니다. 고장은 REPAIR 및/또는 CALIBRATION을 통해 수정됩니다.(The condition of not meeting intended performance or safety requirements, and/or a breach of physical integrity. A failure is corrected by REPAIR and/or CALIBRATION.)

o 고장 진단(Troubleshooting): 의료기기의 문제를 식별하고 원인을 찾는 과정. (The process of identifying and finding the cause of problems in medical device/equipment.)

o 수리(Repair): 의료기기의 손상된 부분을 고치거나 부품을 교체하는 작업. (The act of fixing or replacing damaged parts of medical device/equipment.)

o 수리이력 관리(Maintenance History Management): 의료 장비나 기타 기계 장비의 모든 수리 및 유지보수 활동을 기록하고 추적하는 과정. 이 정보는 장비의 성능과 안정성을 평가하고, 미래의 유지보수 계획을 수립하는 데 중요한 역할을 합니다. 또한, 장비가 언제, 어떻게 수리되었는지에 대한 상세한 기록을 제공하여, 장비 관리를 개선하고 운영 비용을 절감하는 데 도움을 줍니다. (Maintenance history management refers to the process of recording and tracking all repair and maintenance activities for medical device/equipment or other machinery. This information plays a crucial role in evaluating the performance and stability of the device/equipment, and in establishing future maintenance plans. Additionally, providing detailed records of when and how the device/equipment was repaired can help improve device/equipment management and reduce operating costs.)

o 수리시간(Repair time) : 장치를 수리하고 다시 사용할 수 있도록 준비하는 실제 시간 (The hands-on time to REPAIR a device/equipment and have it ready to be returned to use)

o 응답시간(Response time) : 서비스 요청이 시작된 때부터 서비스 담당자가 문제를 해결하거나 장치를 수리하기 위해 도착하거나 수리를 위해 장치를 제거하기까지의 시간 (The time from when a request for SERVICE is initiated until a service representative solves the problem (e.g., by telephone) or arrives to REPAIR a device/equipment or to remove it for repair.)

o 다운타임, 미가동시간(Downtime) : 다운타임은 의료 장비나 기타 운영 장비가 계획되지 않은 이유로 정상적으로 작동하지 않는 시간을 의미. 이 시간 동안 장비는 사용할 수 없으며, 이로 인해 환자 치료에 차질이 생기거나 생산성이 저하될 수 있습니다. 다운타임을 최소화하는 것은 의료 기관이나 기업의 효율성과 성능을 유지하기 위해 중요합니다. 다운타임을 효과적으로 관리하고 줄이는 것은, 장비의 가용성을 높이고, 운영 비용을 줄이며, 최종적으로는 환자 만족도와 생산성을 향상시키는 데 기여합니다. 미가동시간은 시간 또는 백분율로 지정됩니다. 일반적으로 지정된 "사용 기간"에 대해서만 계산됩니다. 사용 기간은 기기가 임상용으로 사용 가능하도록 예정된 시점 또는 계약 조건에 기기 사용 가능 여부가 명시되어 있는 시점을 기준으로 합니다. 예를 들어, 사용 기간은 1년 365일 하루 8시간일 수도 있고, 1년 52주 동안 하루 8시간, 주 5일일 수도 있습니다. 다운타임 지정 시에는 사용기간을 명시해야 합니다. (Downtime refers to the period when medical device/equipment or other operational machinery is not functioning properly due to unplanned reasons. During this time, the device/equipment is unavailable, which can lead to disruptions in patient care or a decrease in productivity. Minimizing downtime is crucial for maintaining the efficiency and performance of healthcare institutions or businesses.

Effectively managing and reducing downtime contributes to increasing the availability of device/equipment, reducing operating costs, and ultimately improving patient satisfaction and productivity. Note that it is typically calculated only over a specified "use period." A use period is based on when a device/equipment is scheduled to be available for clinical use or when a contract's terms specify that a device/equipment will be available. For instance, the use period might be eight hours a day for 365 days a year, or eight hours a day, five days a week for 52 weeks a year. The use period must be stated when specifying downtime.)

설명: (1) 수요가 높은 장비(예: 컴퓨터 단층촬영 또는 MRI 스캐너)가 한 대 또는 몇 대만 있는 경우 미가동시간이 가장 큰 문제입니다. (2) 서비스 계약에 명시된 사용 기간은 기관에서 장치를 사용할 수 있도록 예약한 시간과 일치하지 않을 수 있습니다. 오전 9시부터 오후 5시까지 서비스 계약의 경우 해당 부서가 더 오랜 시간 동안(예: 오전 8시부터 오후 8시까지) 열려 있는 경우, 고장이 정오에 보고 되고 다음날 오전 10시까지 수리된 고장은 계약에 따라 6시간의 가동 중지 시간으로 계산됩니다(정오부터 5시까지). 오후 8시, 오전 9시~10시), 예정된 이용시간 10시간(정오~오후 8시, 오전 8~10시)이 손실될 수 있다. (3) 단기 및 장기 가동 중지 시간을 모두 지정하는 것이 유용한 경우가 많습니다. 예를 들어, 오전 9시부터 오후 5시까지의 서비스 계약이

있습니다. 주 5일 보장에는 연간 72시간의 가동 중지 시간 제한과 매주 최대 8시간(연간 약 3.5% 및 주간 20%에 해당)이 포함될 수 있습니다. (4) 가동 중지 시간은 예정된 대로(예: 검사 또는 예방적 유지 관리) 또는 다음과 같이 지정될 수 있습니다. 예정되지 않은(예: 수리용) 별도로 지정하지 않은 경우 가동 중지 시간은 두 범주를 모두 포함하는 것으로 간주됩니다.

Comments: (1) Downtime is of greatest concern when a facility has only one or a few units of a high-demand device/equipment (such as a computed tomography or MRI scanner). (2) The use period specified in a service contract may not correspond to the time for which the facility schedules the device/equipment to be available. For a service contract with 9 a.m. to 5 p.m. coverage, if the department is open for a longer time (e.g., 8 a.m. to 8 p.m.), a FAILURE that is reported at noon and is repaired by 10 a.m. the next day counts as six hours of downtime under the contract (noon to 5 p.m. and 9 to 10 a.m.), even though 10 hours of scheduled use may be lost (noon to 8 p.m. and 8 to 10 a.m.). (3) It is often useful to specify both a short-term and a long-term downtime. For example, a service contract with 9 a.m. to 5 p.m. coverage for five days a week might include a limit of 72 hours of downtime in a year and a maximum of eight hours in any week (corresponding to about 3.5% annually and 20% weekly). (4) Downtime may be specified as scheduled (e.g., for inspection or preventive maintenance) or as unscheduled (e.g., for repair). If not otherwise specified, downtime is taken to include both categories.

o 부품 교체(Component Replacement): 고장난 또는 마모된 의료기기 부품을 새로운 것으로 교체하는 과정. (The process of replacing faulty or worn parts of medical device/equipment with new ones.)

o 점검(Inspection): 의료기기의 상태와 정상 작동 여부를 확인하는 절차. (A procedure to check the condition and proper operation of a medical device/equipment.)

설명: (1) Inspection(점검)은 일반적으로 제조업체의 권장 사항, 의료 시설에서 장치를 사용하는 방식, 시설의 장비 서비스 경험, 가능한 경우 외부 소스에서 얻은 정보(예: 기술 문헌 또는 기타 데이터 소스)에 따라 진행됩니다. (2) 임상 공학 커뮤니티 내에서 예정된 검사를 종종 "PM"이라고 합니다. 이 용어는 검사와 예방점검 사이에 혼란이 있습니다.

Comments: (1) An inspection is typically guided by a manufacturer's recommendations, the ways that the healthcare facility uses its device/equipment, the facility's experiences SERVICING the device/equipment, and information from external sources when available (such as technical literature or other data sources). (2) Within the clinical engineering community, scheduled inspections are often referred to as "PMs." This terminology creates confusion between inspections and PREVENTIVE MAINTENANCE.

o 점검시간(Inspection time) : 장치 또는 모델에 대한 검사를 수행하는 데 소요되는 평균 시간으로, 장치를 찾아 접근하고 해당 위치로 이동하는 데 소요된 시간을 제외합니다. (The average time to perform an INSPECTION for a device/equipment or model, excluding the time spent locating and gaining access to a device/equipment and traveling to its location.)

o 예방점검(PM, Preventive Maintenance): 의료기기의 이상 발생을 사전에 방지하기 위해 정기적으로 수행하는 점검 및 유지보수 활동. (Regular maintenance activities performed on medical device/equipment to prevent malfunctions before they occur.)

설명: (1) 예방점검은 정기적인 일정(예: 매년), 장비 사용 시간을 기준으로 한 일정 또는 "필요에 따라" 수행할 수 있습니다. 여기서 "필요에 따라"라는 용어는 기기의 고장을 기준으로 한 것이 아니라 관찰 또는 측정(예: 검사 중)을 기준으로 필요하다고 결정된 작업을 의미합니다. (2) 예방점검에는 사용자가 수행하는 사용자점검을 제외됩니다.

Comments: (1) Preventive maintenance may be performed on a regular calendar schedule (e.g., annually), on a schedule based on hours of device/equipment use, or on an "as needed" basis.

The term "as needed" here refers to tasks that are determined to be required based on observation or measurement (e.g., during INSPECTION), not based on a device/equipment's FAILURE. (2) Preventive maintenance excludes the user inspection that is carried out by users.

o 정밀정점(Overhaul) : 장치의 수명을 크게 연장하기 위해 장치의 마모된 부품을 광범위하게(예: 일상적인 예방점검를 훨씬 초과하는) 교체하거나 재구축하는 것 (An extensive (i.e., far exceeding routine PREVENTIVE MAINTENANCE) replacement or rebuilding of worn parts on a device/equipment to significantly extend its life.)

설명: 정밀검사는 고정된 간격, 경과 시간 측정기를 사용하여 결정된 간격 또는 필요에 따라 수행될 수 있습니다.

Comment: Overhauls may be performed at a fixed interval, at intervals determined by the use of an elapsed-time meter, or as needed.

o 사용자(일상) 점검(User inspection) : 사용자가 직접 수행하는 정기적인 점검 및 관리 활동을 의미합니다. 구체적으로 사용자 점검에는 다음과 같은 내용이 포함됩니다: ("User Inspection" refers to the periodic inspection and maintenance activities performed by the users of medical device/equipment. Specifically, user inspections include the following:)

- 의료기기의 외관, 작동, 안전성 등을 정기적으로 확인하는 것 (Regularly inspecting the appearance, operation, and safety of the medical device/equipment)

- 사용 전 기기의 상태를 점검하고 이상 유무를 확인하는 것 (Inspecting the device/equipment's condition before use and verifying its proper functioning)

- 기기 사용 중 발생할 수 있는 문제를 사전에 감지하고 대응하는 것 (Identifying and addressing any potential issues that may arise during device/equipment operation)

- 기기 관리 및 청소, 소모품 교체 등의 일상적인 유지보수 활동 (Performing routine maintenance tasks, such as cleaning, replacing consumables, etc.)

이를 통해 사용자는 의료기기의 안전하고 효과적인 사용을 보장할 수 있습니다. 의공부서에서는 사용자 점검을 의료기기 관리의 핵심 요소로 간주하고 있습니다. (By conducting these user inspections, the users can ensure the safe and effective use of the medical device/equipment. The CE department considers user inspections to be a core element of medical device/equipment management.)

o 교정(Calibration): 의료기기의 측정 정확도를 보장하고, 기준에 맞게 조정하기 위한 절차. (The process of adjusting the measurement accuracy of medical device/equipment to ensure they meet specific standards.)

o 조절(Adjustment) : "Adjustment"는 의료기기의 성능이나 상태를 최적의 상태로 조정하거나 변경하는 것을 의미합니다. 이는 의료기기의 정확성, 정밀성, 안전성 등을 확보하기 위해 필요한 작업입니다. 예를 들어 의료기기의 센서, 부품, 설정 등을 조정하여 기기의 성능을 최적화하는 것이 "Adjustment"에 해당합니다. 따라서 "Adjustment"는 의료기기의 상태를 점검하고 필요에 따라 적절히 조정하여 기기의 성능과 안전성을 확보하는 것을 의미하는 용어라고 할 수 있습니다. ("Adjustment" refers to the process of optimizing the performance or condition of medical devices. This involves making changes or modifications to the device, such as adjusting its sensors, components, or settings, in order to ensure its accuracy, precision, and safety. In other words, "Adjustment" is the act of inspecting the state of a medical device and appropriately adjusting it as needed to optimize the device's performance and safety.)

Calibration vs Adjustment

*Calibration*은 측정 장비의 성능을 표준 장비와 비교하여 측정 오차를 확인하는 과정입니다. 이를 통해 측정 장비의 정확성과 정밀성을 평가하지만, 장비 자체에는 어떠한 변경도 가하지 않습니다.

반면 *Adjustment*는 측정 장비의 성능을 최적의 상태로 조정하거나 변경하는 과정입니다. 이는 측정 장비의 센서, 부품, 설정 등을 조정하여 장비의 성능을 향상시키는 것을 의미합니다. 따라서 *Calibration*은 측정 오차를 확인하는 것이고, *Adjustment*는 그 오차를 줄이기 위해 장비를 조정하는 것이 핵심적인 차이라고 할 수 있습니다

Calibration is the process of comparing the performance of a measuring instrument against a standard, in order to determine the measurement error. This allows for the evaluation of the accuracy and precision of the measuring instrument, but does not involve any changes to the instrument itself.

On the other hand, Adjustment is the process of optimizing or modifying the performance of a measuring instrument. This involves adjusting the sensors, components, or settings of the measuring instrument in order to improve its performance. Therefore, the key difference is that Calibration is the act of verifying the measurement error, while Adjustment is the act of correcting that error by making changes to the instrument. Calibration precedes Adjustment, as the calibration results determine the need for adjustments.

o 수정(Modification) : 성능, 신뢰성, 안전성을 향상시키거나 새로운 기능을 추가하기 위해 장치를 원래 상태에서 변경하는 것(이것은 성능이 저하된 상태에서 장치를 복원하는 것과는 다름) 예로는 새로운 기능이 포함된 소프트웨어 설치, 장치에 구성 요소 추가 등이 있음. (The alteration of a device/equipment from its original state to improve performance, reliability, or safety, or to add new functionality. (This is distinct from restoring a device/equipment from a deteriorated state. Examples of modifications include installing software with new functionality and adding components to a device/equipment.)

o 오남용(Abuse) : 기기동작, 청소, 운송중에 사용자의 잘못으로 인하여 기기가 손상되어 장치 FAILURE에 할당된 상태. (The status assigned to a device/equipment FAILURE when a service representative finds damage attributable to incorrect use (e.g., during operation, cleaning, or transport).

o 사용자 오류(Use error) : 의료기기를 사용하는 과정에서 사용자의 실수나 부적절한 사용으로 인해 발생하는 오류를 말합니다. 이는 기기 자체의 결함이 아닌 사용자 측의 문제입니다. 예로는 사용자 지침을 잘못 읽거나 장치를 잘못 작동하는 것이 있습니다. 사용자 오류는 의료기기의 안전성 평가에서 중요한 고려 사항입니다. 이는 사용자 교육과 사용자 지침의 질적 향상을 통해 예방할 수 있습니다. (Use error refers to errors that occur during the use of a medical device/equipment, which are caused by user mistakes or improper use. This is a problem on the user's side, not a defect of the device/equipment itself. Examples include misreading the user instructions or incorrectly operating the device/equipment. Use error is an important consideration in the safety evaluation of medical device/equipment. It can be prevented through user education and improving the quality of user instructions.)

Abuse vs. Use Error

Abuse는 의료기기를 부적절하거나 해로운 방식으로 사용하는 것을 의미합니다.

이는 사용자가 의도적으로 기기를 남용하거나 본래 목적을 벗어나 함부로 사용하는 행위를 포함합니다. 예를 들어 불법 프로그램 사용, 의도적 방해 등이 Abuse에 해당합니다.

반면 Use Error는 사용자의 실수나 잘못된 사용으로 인해 발생하는 오류를 의미합니다. 이는 기기 자체의 결함이 아닌 사용자 측면에서의 문제로, 사용 설명서 오독이나 조작 실수 등이 이에 해당합니다.

즉, Abuse는 의도적이고 부적절한 사용인 반면, Use Error는 사용자의 실수로 인한 오류라는 점에서 차이가 있습니다. 의공부서에서는 이 두 가지 요소를 모두 중요하게 고려하여 의료기기의 안전성을 평가하고 있습니다.

Abuse refers to the use of a medical device/equipment in an improper or harmful manner. This includes the intentional misuse or misapplication of the device/equipment, beyond its intended purpose. Examples of abuse include the use of unauthorized software and intentional interference.

On the other hand, Use Error refers to errors that occur due to user mistakes or improper use. This is a problem on the user's side, not a defect of the device/equipment itself, such as misreading the user instructions or incorrect operation.

The key difference is that Abuse involves intentional and inappropriate use, while Use Error is an unintentional error made by the user. The CE department considers both of these elements as important factors in evaluating the safety of medical device/equipment.

o 계약에 의한 서비스(Contracted Service) : 제조사 또는 독립 서비스 업체와 계약을 맺고 제공받는 서비스 (SERVICE provided under contract by a manufacturer or independent service) organization.

설명: (1) 임상 공학 커뮤니티 내에서 "아웃소싱 서비스"라는 용어는 때때로 "계약 서비스"를 지칭하는 데 사용됩니다. (2) 계약된 서비스 범위는 전체 범위(검사 및 예방 유지 관리, 모든 부품 및 소프트웨어 업그레이드)부터 더 적은 옵션(예: 부품 전용 서비스 계약)까지 다양할 수 있습니다.

Comments: (1) Within the clinical engineering community, the term "outsourced service" is sometimes used to refer to what we call "contracted service." (2) The scope of contracted service can vary from full coverage (INSPECTION and PREVENTIVE MAINTENANCE, and all parts and software upgrades) to lesser options (e.g., parts-only service contract).

o 인-하우스 서비스(In-house Service) : 원내의 의공기사가 직접 수행하는 의료장비 서비스 (The SERVICING of medical device/equipment performed by the facility' s own staff.)

o 제조사 서비스(Vendor service) 의료기기 제조사 또는 공급업체가 의료기관에 제공하는 서비스로 의료기기 설치, 교육, 유지보수 등 기술 지원 서비스와 의료기기 수리, 부품교체, 정기 점검 등 사후서비스, 의료기기 사용에 관한

기술 자문 및 컨설팅 서비스를 포함합니다. (Vendor Service refers to the services provided by the medical device/equipment manufacturer or supplier to the healthcare facility. Specifically, Vendor Service may include that Technical support services such as installation, training, and maintenance of medical device/equipment After-sales services like repair, parts replacement, and periodic inspections of medical device/equipment Technical advisory and consulting services related to the use of medical device/equipment)

o 업데이트 및 업그레이드(Updates and Upgrades): 의료기기의 기능성 및 성능을 향상시키기 위해 소프트웨어나 하드웨어를 최신 상태로 만드는 작업 (Activities to improve the functionality and performance of medical device/equipment by updating software or hardware).

o 펌웨어 업데이트(Firmware Update): 의료기기의 내장 소프트웨어를 최신 버전으로 업데이트하는 작업. (Updating the embedded software of medical device/equipment to the latest version.)

o 소프트웨어 업데이트(Software Update): 의료기기의 소프트웨어 버전을 최신 상태로 유지하기 위해 수행하는 업데이트 작업. (The process of updating the software version of medical device/equipment to keep it up to date.)

o 하드웨어 업그레이드(Hardware Upgrade): 의료기기의 물리적 구성요소를 최신 상태로 교체하거나 향상시키기 위한 작업. (The process of replacing or improving the physical components of medical device/equipment to keep them up to date.)

2. 기타 기술(**Minor Technology**) 용어

o 안전검사(Safety Testing): 의료기기가 안전 기준을 충족하는지 확인하는 테스트. (Testing to ensure that medical device/equipment meets safety standards.)

o 전기안전시험(Electrical Safety Test): 의료기기가 전기 안전 기준을 충족하는지 확인하는 시험. (Testing to ensure medical device/equipment meets electrical safety standards.)

o 기술지원(Technical Support): 의료기기 사용 중 발생할 수 있는 기술적 문제를 해결하기 위해 제공되는 지원 서비스 (Support service provided to solve technical problems that may arise during the use of medical device/equipment).

o 임상평가(Clinical Evaluation): 의료기기가 임상적으로 안전하고 효과적임을 평가하는 과정 (Process of evaluating the clinical safety and effectiveness of medical device/equipment).

o 호환성 평가(Compatibility Assessment): 의료기기가 다른 기기나 시스템과 제대로 작동하는지 평가하는 과정 (Process of evaluating whether medical device/equipment operates correctly with other device/equipment or systems).

o 전자기 호환성(Electromagnetic Compatibility, EMC): 의료기기가 전자기적 환경에서 정상적으로 작동하고 다른 기기에 전자기적 간섭을 일으키지 않도록 하는 성질

(Property ensuring medical device/equipment operates normally in electromagnetic environments and does not cause electromagnetic interference to other device/equipment).

o 장애 관리(Fault Management): 의료기기에서 발생하는 장애를 식별, 분석 및 해결하는 프로세스 (Process of identifying, analyzing, and resolving faults in medical device/equipment).

3. 의료기기 관리지표(Quality Indicator) 용어

o 운영율(Medical Equipment Utilization Rate) : 의료장비 운영율은 의료기관의 장비 활용도를 나타내는 지표입니다. 의료장비 운영율은 의료기관이 보유한 장비 중 실제 사용되고 있는 장비의 비율을 의미합니다. 이는 의료기관이 보유한 장비를 효율적으로 활용하고 있는지를 보여줍니다. 높은 운영율은 의료기관이 보유한 장비를 효율적으로 활용하고 있다는 것을 의미합니다. 이는 의료기관의 생산성과 수익성 향상에 기여할 수 있습니다. (The equipment utilization rate is an indicator that represents the utilization of medical equipment by healthcare institutions. The equipment utilization rate refers to the proportion of equipment that is actually being used out of the total equipment owned by the healthcare institution. This indicates how efficiently the healthcare institution is utilizing the equipment it owns. A high utilization rate suggests that the healthcare institution is using its equipment efficiently, which can contribute to improved productivity and profitability.)

- 의료장비 운영율 = (실제 사용중인 의료장비 수 / 보유 의료장비 총 수) X 100

Medical Equipment Utilization Rate = (Number of Medical Equipment in Actual Use / Total Medical Equipment Owned) x 100 o 수리율(Medical device/equipment Repair Rate) : 의료장비 수리율은 의료기관 내 의료장비 관리 부서에서 사용하는 지표로, 고장난 의료장비 중 실제로 수리가 완료된 비율을 나타냅니다. 구체적으로 의료장비 수리율은 다음과 같이 계산될 수 있습니다: (The "Medical device/equipment Repair Rate" is a metric used by the medical device/equipment management department within healthcare institutions. It represents the ratio of medical device/equipment that have been successfully repaired out of the total number of malfunctioning device/equipment. Specifically, the Medical device/equipment Repair Rate is calculated as follows:)

- 의료장비 수리율 = (수리 완료된 의료기기 수 / 고장 발생 의료기기 수) x 100

Medical Device/Equipement Repair Rate = (Number of medical devices/equipment repaired / Number of malfunctioning medical devices/equipment) x 100

이 지표는 의료기관의 의료기기 관리 체계와 유지보수 활동의 효율성을 보여줍니다. 수리율이 높을수록 의료기기에 대한 적절한 관리와 신속한 대응이 이루어지고 있다고 볼 수 있습니다. 의료기관은 이 지표를 통해 의료기기 관리 수준을 평가하고, 필요한 경우 개선 방안을 마련할 수 있습니다. 이를 통해 의료기기의 가용성과 안전성을 높일 수 있습니다. (This indicator reflects the efficiency of the healthcare facility's medical device/equipment management system and maintenance activities. A higher repair rate suggests appropriate management and prompt response to medical equipement issues. Healthcare organizations can use this metric to evaluate the level of their medical device/equipment management and implement necessary improvements. This helps to enhance the availability and safety of medical device/equipment.)

o 자체 수리율(Self-Repair Rate) : 의료기기의 유지보수 활동이 자체의 역량으로 얼마나 잘 이루어지고 있는지를 나타내는 지표입니다. 인-하우스 서비스 건수를 전체 고장발생 건수로 나눈 값의 비율로 계산합니다. (Self-Repair Rate is an indicator that represents how well the in-house maintenance and repair activities for medical devices/equipment are being carried out. It is calculated as the ratio of the number of in-house repair services to the total number of device/equipment failures. Specifically, the Self-Repair Rate is calculated as follows:)

- 자체 수리율 = (실제 인하우스 서비스 시행 건수 / 전체 고장발생 건수) x 100

  Self-Repair Rate = (Number of in-house repair services / Total number of device failures) x 100

이 지표는 외부 서비스 제공자에 의존하지 않고 자체

자원과 전문 지식을 사용하여 의료 장비를 유지 관리
하고 수리하는 의료 시설의 능력과 효율성을 반영합니
다. 자가 수리율이 높다는 것은 해당 조직이 강력한 사
내 의료기기 관리 시스템을 갖추고 있음을 의미합니다.
(This metric reflects the healthcare facility's capability
and efficiency in maintaining and repairing their medical
equipment using their own resources and expertise,
without relying on external service providers. A higher
self-repair rate suggests that the organization has a
robust in-house medical device management system.)

o 수선비 비율(SA Ratio, Service Cost/Acquisition Cost) :
의료기기의 유지관리 비용(Total cost of service)을 해당
의료기기의 구입 비용(acquisition cost)으로 나눈 값입니다.
일반적으로 연간 수선비용 비율을 계산하는데 연간 발생한
의료기기 총 유지관리비(수선비)를 보유한 의료기기의 총
구매비용으로 나눈 값입니다. COSR(Cost Of Service
Ratio)라고도 부릅니다.

- 한해에 발생한 의료기기 유지관리 총비용이
  30억원이고 그해에 보유하고 있는 의료기기의 총
  구매비용이 1,000억원인 경우,

SA Ratio(COSR) = (30억원 / 1,000억원) X 100 = 3%

*설명: (1)의료기관 규모별, 의료기기 또는 의료장비별,
의공기사 종사자 수, 의료기기 관리수준 등에 따라 SA
Ratio는 다를 수 있습니다. (2)고가 의료장비 일수록*

SA Ratio가 높은 경향이 있습니다. (3)미국, 유럽, 한국 등 선진국이 개발도상국에 비하여 SA Ratio가 높은 편이며, 이는 선진국일수록 고가 의료장비가 많고 최적의 상태로 의료장비 유지관리 하는 것으로 해석합니다. (4)일반적인 의료기관의 경우 SA Ratio는 3~6% 수준입니다.

Comments : (1) The SA Ratio (Service Cost/Acquisition Cost) can vary depending on the size of the healthcare institution, the type of medical device/equipment or device/equipment, the number of biomedical engineering staff, and the level of medical device/equipment management. (2) The SA Ratio tends to be higher for more expensive medical device/equipment. (3) Developed countries like the US, Europe, and Korea tend to have higher SA Ratios compared to developing countries. This is because developed countries have more high-cost medical device/equipment and maintain their device/equipment in optimal condition. (4) For a typical healthcare institution, the SA Ratio is generally in the range of 3-6%.

o 연간 고장율 (Annualized Failure rate) : 장치 또는 장치 그룹(예: 특정 모델)의 고장 횟수를 사용 중인 장치 수와 사용 연수의 곱으로 나눈 값. (The number of FAILURES for a device/equipment or a group of device/equipment (e.g., a particular model) divided by the product of the number of years being considered and the number of device/equipment in use at a facility. The following are sample annualized failure rate calculations:

- 인퓨전펌프 700개가 있는 기관에서 1년동안 해당모델에 대해 84건의 수리요청을 받은 경우(A facility with 700 units of the same infusion pump model received 84 REPAIR work orders for that model during one year.)

  84 failures/(700 pumps × 1 yr) = 0.12 failures/pump-yr

- 동일한 모델의 초음파스캐너 5대에 대해 3년동안 수리요청을 2건 받은 경우(For five ultrasound scanners of the same model, there were only two repair requests in three years.)

  2 failures/(5 scanners × 3 yr) = 0.13 failures/scanner-yr

- MRI 한 대를 3년동안 9번 수리한 경우(A single magnetic resonance imaging (MRI) unit required nine repairs over three years.)

  9 failures/(1 unit × 3 yr) = 3 failures/MRI unit-yr

설명: (1) 고장율 계산에 대한 이 접근 방식은 실용적이지만 매우 기본적입니다. 예를 들어, 의료기기에 대한 정보는 고장률 계산을 위해 쉽게 접근할 수 없기 때문에 기기의 수명이나 유효 수명,

작동 시간을 고려하지 않습니다. (2) 계산은 *UNABLE TO DUPLICATE, USE ERROR, ABUSE*로 확인된 실패를 포함한 모든 수리 작업 지시를 기반으로 해야 합니다. 왜냐하면 그러한 고장을 일관되게 배제하는 것은 불가능하기 때문입니다. 검사 중에 확인된 오류는 수리 작업 지시로 이어질 것으로 가정됩니다. (3) 고장률 계산값은 백분율로 표시하지 않습니다. 이는 단일 장치에 적용할 경우 직관적인 의미가 거의 없기 때문입니다. 예를 들어, 위의 *MRI* 예에서 장치의 고장률은 *300%*입니다.

Comments: (1) This approach to failure rate calculation is practical but also very basic. For example, it does not consider the age of a device/equipment or its useful life, or account for its operating time, since such information about medical device/equipment may not be readily accessible for failure rate calculations. (2) The calculation should be based on all repair work orders, including those for failures identified as UNABLE TO DUPLICATE, USE ERROR, and ABUSE, since it is not feasible to exclude such failures consistently. It is assumed that failures identified during inspection will result in a repair work order. (3) The failure rate calculation value is not expressed as a percentage because doing so would have little intuitive meaning when applied to a single device/equipment. For instance, in the MRI example above, the unit would have a failure rate of 300%.

○ 예방점검 시행율 (Preventive Maintenance Compliance Rate) : 예방점검 시행율은 의료기기 기술부서에서 사용하는 용어로, 의료기기의 예방적 유지보수 활동이 얼마나 잘 이루어지고 있는지를 나타내는 지표입니다. 구체적으로 예방점검 시행율은 다음과 같이 계산됩니다 (Preventive Maintenance Compliance Rate is a term used in the medical device/equipment technical department, which indicates how well the preventive maintenance activities for medical device/equipment are being carried out. Specifically, the Preventive Maintenance Compliance Rate is calculated as follows:)

- 예방점검 시행율 = (실제 예방점검 수행 건수 / 계획된 예방점검 건수) x 100

(Preventive Maintenance Compliance Rate = (Actual number of preventive maintenance tasks performed / Planned number of preventive maintenance tasks) x 100)

이 지표가 높을수록 의료기기에 대한 예방적 유지보수가 잘 이루어지고 있다는 것을 의미합니다. 예방점검 시행율이 낮다면 의료기기 관리가 미흡하다고 볼 수 있습니다. 예방점검 시행율은 의료기관의 의료기기 관리 수준을 평가하는 중요한 지표로 활용됩니다. 이를 통해 의료기관은 의료기기 관리 체계를 개선하고 환자 안전을 높일 수 있습니다. (A higher rate indicates that the preventive maintenance of medical device/equipment is being well-executed. A lower rate would suggest inadequate medical device/equipment management. The Preventive Maintenance Compliance Rate is an important metric used to evaluate the level of medical device/equipment management in healthcare facilities. By monitoring this indicator, healthcare organizations can improve their medical device/equipment management systems and enhance patient safety.)

o MTBF(Mean Time Between Failures) : 의료기기가 고장 나기 전까지의 평균 가동 시간을 의미합니다. 의료기기의 내구성과 신뢰성을 나타내며, 값이 클수록 고장이 적게 발생함을 의미합니다. 의료기기의 총 가동시간을 고장 건수로 나눈 값입니다.

MTBF = (총 가동시간) / (고장 건수)

- 한 병원에서 사용 중인 X-ray 기기가 지난 1년간 총 8,000시간 가동되었고 이기간 동안 4변의 고장이 발생한 경우

MTTF = 8,000 시간 / 4회 = 2,000시간

이 경우 X-ray 기기는 평균 2,000시간마다 한 번씩 고장이 났음을 의미합니다.

o MTTR(Mean Time To Repair) : 의료기기 고장이 발생했을 때, 수리를 완료하는 데 걸리는 평균시간을 의미합니다. 의료기기 유지보수 능력을 나타내며, 값이 작을수록 신속한

수리가 가능함을 의미합니다. 총 수리시간을 고장 건수로
나눈 값입니다.

MTTR = (총 수리시간) / (고장 건수)

- 위 X-ray의 4번의 고장 수리에 총 20시간이
  소요되었다면

MTTR = 20시간 / 4회 = 5시간

즉 X-ray 한 대 수리하는데 평균 5시간이 걸립니다.

○ MTTA(Mean Time To Acknowledge) : 의료기기 고장이 발생한
후 이를 인지하고 대응하기 까지 걸린 평균시간을
의미합니다. 의료기기 모니터링 및 대응 능력을 나타냅니다.

- 위 X-ray 기기 고장 발생 후 평균 2시간 이내에 이를
  인지하고 대응했다면 MTTA는 2시간입니다.

○ MTTF(Mean Time To Failures) : 의료기기가 고장 나기 전까지
정상 작동하는 평균 시간입니다. 일반적으로 일회용
의료기기나 고장발생시 수리하지 않고 새기기로 교체하는
의료기기의 수명을 예측하는데 사용됩니다. 총 가동시간을
고장 건수로 나눈 값입니다.

MTTF = (총 가동시간) / (고장 건수)

- 간이 체온계가 총 가동시간이 50,000시간 이었습니다.
  이 기간 동안 100대의 체온계를 교체한 경우

$$MTTF = 50,000시간 / 100대 = 500시간$$

즉 체온계는 평균수명은 500시간입니다. (500시간 마다
교체해야 합니다)

3. 의료기기 비용 (Cost) 관련 용어

○ 비용 분석 (Cost Analysis): 의료 장비의 구입, 운영, 유지보수 등에 소요되는 비용을 분석하는 과정. 초기 구입비용, 지속적인 운영비용, 그리고 정기적인 유지보수 및 수리 비용을 평가하는 것을 포함. 이러한 분석은 소유 총비용을 이해하고 의료환경에서 의료장비의 조달 및 관리와 관련하여 비용 효율성을 보장하는데 있어 정보에 근거한 결정을 내리는데 도움이 된다. (The process of analyzing the costs associated with the purchase, operation, and maintenance of medical device/equipment involves evaluating the initial acquisition cost, ongoing operational expenses, and the cost of regular maintenance and repairs. This analysis helps in understanding the total cost of ownership and in making informed decisions regarding the procurement and management of medical device/equipment to ensure cost-effectiveness and efficiency in healthcare settings.)

○ 구입비용(Acquisition cost) : 장비를 구입하는데 드는 구입가격, 배송비, 교육 및 설치비용 등을 포함한 총비용 (The total cost, including the purchase price, delivery charges, and training and installation costs, to acquire a single piece of device/equipment.)

설명: (1) 연간 소프트웨어 라이센스 비용이 있는 장비의 경우 첫해 비용을 포함합니다. (2) 사전 구매한 소프트웨어 업그레이드 또는 서비스 비용을 구입

비용에 포함하지 마십시오. 사전 구매한 서비스는
계약된 서비스 비용으로 처리되어야 합니다.

Comments: (1) For device/equipment that has annual software license fees, include the fee for the first year. (2) Do not include the cost of prepurchased software upgrades or service in the acquisition cost; prepurchased service should be treated as a contracted service cost.

o 생명주기 비용(Life Cycle Cost, LCC): 의료기기의 구매에서 폐기에 이르는 전체 기간 동안 발생하는 모든 비용의 총합 (Total of all costs associated with medical device/equipment from purchase to disposal).

o 유지관리 총비용(Total cost of service) : Total Cost of Service (TCS)는 의료기기 수리 서비스에 소요되는 총 비용을 의미합니다. 구체적으로 TCS에는 다음과 같은 비용 요소가 포함됩니다 (Total Cost of Service (TCS) refers to the total cost incurred for providing a medical device/equipment repair service. Specifically, the TCS includes the following cost components:)

- 수리 인건비: 기술자의 시간당 요율과 실제 소요 시간을 곱한 금액 (Labor cost: The hourly rate of the technician multiplied by the actual time spent on the repair.)

- 부품 비용: 수리에 사용된 부품의 구매 가격 (Parts

cost: The purchase price of the parts used for the repair.)

- 간접 비용: 수리 서비스 제공을 위한 시설, 장비, 관리 비용 등 (Indirect costs: Facility, device/equipment, and management costs associated with providing the repair service.)

의료기기 수리부서에서는 이러한 TCS를 정확히 산출하여 고객에게 청구하는 비용을 결정합니다. 이를 통해 실제 소요 비용을 투명하게 공개하고 합리적인 가격을 책정할 수 있습니다. (In the medical device/equipment repair department, the TCS is accurately calculated to determine the appropriate charge to the customer. This allows for transparent disclosure of the actual costs and the establishment of a reasonable pricing structure.)

5. 의료기기 관리(Management) 용어

o 의료기기 관리 전산화 프로그램(CMMS, Computerized Maintenance Management System for Medical Equipment) : CMMS는 의료기기의 유지보수 및 관리를 위한 컴퓨터화된 관리 시스템입니다. 주요 기능은 다음과 같습니다 (CMMS stands for Computerized Maintenance Management System, which is a computer-based system used by the medical device/equipment management department to manage the maintenance and upkeep of medical device/equipment. The key functions of a CMMS include:)

- 의료기기 정보, 점검/정비 이력, 부품 재고 등의 데이터를 통합 관리 (Centralized management of medical device/equipment information, inspection/maintenance history, and parts inventory)

- 예방 점검, 정기 점검 등의 유지보수 계획 수립 및 관리 (Establishment and management of preventive maintenance plans, such as scheduled inspections)

- 작업 요청, 작업 배정, 작업 완료 관리 등의 업무 프로세스 자동화 (Automation of work order processing, task assignment, and work completion tracking)

- 의료기기 가동 현황, 유지보수 비용 등의 데이터 분석

및 보고서 생성 (Data analysis and reporting on medical device/equipment utilization, maintenance costs, and other key metrics)

CMMS를 통해 의료기기 관리 부서는 의료기기의 안전성과 가용성을 높이고, 유지보수 비용을 절감할 수 있습니다. 이를 통해 의료기기의 수명 연장과 효율적인 운영이 가능해집니다. (By utilizing a CMMS, the medical device/equipment management department can enhance the safety and availability of medical device/equipment, while also reducing maintenance costs. This enables the extension of the lifespan and efficient operation of the medical device/equipment.)

o 자산 관리(Asset Management): 자산의 효과적인 배치, 운영, 유지보수 및 처분 (Effective deployment, operation, maintenance, and disposal of assets).

o 보증 서비스(Warranty): 제품 구매 후 일정 기간 동안 무상 수리 또는 교체를 보장하는 기간. 이는 제품 구매 후 일정 기간 동안 제조업체나 판매업체가 제품의 결함에 대해 무상으로 수리 또는 교체를 보장하는 기간을 의미합니다. 이 기간은 제품의 품질과 내구성을 보증하는 역할을 하며, 일반적으로 제품 구매 시 명시됩니다. 제품의 종류와 가격에 따라 이 기간의 길이가 다르게 설정됩니다. (The Period during which free repair or replacement of the product is guaranteed after the purchase. This period serves as a guarantee of the product's quality and durability, and is typically specified at the time of purchase. The length of the Warranty Period can vary depending on the type and price of the product. In other words, the Warranty Period refers to the duration in which the manufacturer or seller provides free repair or replacement for any defects in the product after it has been purchased by the customer. This warranty period acts as a assurance of the product's quality and lifespan, and its length is usually disclosed when the product is sold).

o 사용자 교육(User Training): 사용자가 의료기기를 안전하고 효과적으로 사용할 수 있도록 교육하는 과정(Process of educating users for the safe and effective use of medical device/equipment).

o 서비스 교육(Service Trainning) : "Service Training"은 의료기기 관리 및 수리 등의 업무를 수행하는 직원들에게 제공되는 교육 및 훈련을 의미합니다. 이는 직원들의 전문성과 기술 역량을 향상시키기 위해 실시되는 것으로, 의료기기의 구조, 작동 원리, 점검 및 수리 방법 등에 대한 교육이 포함됩니다. 또한 의료기기 관련 전문 용어 습득, 사용자와의 원활한 의사소통 능력 향상 등도 "Service Training"의 목적이 될 수 있습니다. 따라서 "Service Training"은 병원 의료기기 기술부서 직원들의 실무 능력 향상을 위해 제공되는 교육 및 훈련 활동을 의미하는 용어입니다. ("Service Training" refers to the education and training provided to biomedical engineers who are responsible for the management and repair of medical devices/equipment. The purpose of this training is to enhance the expertise and technical capabilities of the biomedical engineers. It includes education on the structure, operating principles, inspection, and repair methods of medical devices and equipment. Additionally, the acquisition of specialized medical device terminology and the improvement of effective communication skills with users can also be part of the "Service Training" objectives. Therefore, "Service Training" in the hospital medical device technical department denotes the educational and training activities provided to improve the practical skills of the department's employees.)

o 작업 지시(Work order): "Work Order"는 의료기기의 수리, 점검, 유지보수 등의 작업을 지시하는 것을 의미합니다. 이는 의료기기 기술부서에서 의료기기의 상태를 확인하고 필요한 작업을 지시하기 위해 사용됩니다. "Work Order"에는 의료기기의 모델, 고장 내역, 수리 내역, 작업 담당자 등의 정보가 포함됩니다. 이를 통해 의료기기 기술부서는 체계적으로 의료기기를 관리할 수 있습니다. (A "Work Order" refers to the instruction for the repair, inspection, and maintenance of medical devices. It is used by the medical device technical department to assess the condition of medical devices and direct the necessary work to be performed. The "Work Order" includes information such as the device model, fault details, repair history, and the personnel assigned to the task. This allows the medical device technical department to manage the devices systematically.)

o 작동 매뉴얼(Operating Manual): 기기의 운영 및 유지보수에 대한 정보를 제공하는 문서 (Document providing information on the operation and maintenance of a device/equipment).

o 사용자 매뉴얼(User Manual): 의료기기의 올바른 사용법, 유지 및 보수 지침을 포함한 문서 (Document containing instructions for the correct use, maintenance, and repair of medical device/equipment).

o 서비스 매뉴얼(Service Manual): 기술자가 수리 및 유지보수를 수행하기 위한 정보를 제공하는 문서 (Document providing repair and maintenance information for technicians).

o 생명주기 관리 (Life Cycle Management): 의료 장비의 설계부터 폐기까지 전 과정에 걸쳐 관리하는 프로세스.

o 위험관리(Risk Management): 의료기기 사용과 관련된 위험을 식별, 평가, 관리하는 과정. (The process of identifying, assessing, and managing risks associated with the use of medical device/equipment.)

o 인터페이스 관리 (Interface Management): 의료장비와 다른 시스템 또는 장비 간의 통신 및 연동을 관리하는 프로세스.(The process of managing communication and interoperability between medical device/equipment and other systems or device/equipment.)

o 보안 관리 (Security Management): 의료 장비와 관련된 정보의 보안을 유지하고 관리하는 과정. (The process of maintaining and managing the security of information related to medical device/equipment. This involves implementing measures to protect sensitive data from unauthorized access, ensuring data integrity, and safeguarding the confidentiality of health information handled by the device/equipment.)

o 예비 부품 관리 (Spare Parts Management): 의료장비의 수리 및 유지보수를 위해 필요한 예비 부품을 관리하는 활동. (Activities involved in managing spare parts required for the repair and maintenance of medical device/equipment.)

o 재고 관리(Inventory Management): 의료기기 및 관련 자재의 구매, 보관, 사용을 관리하는 프로세스 (Process of managing the purchase, storage, and use of medical device/equipment and related materials).

o 장애 관리 (Incident Management): 의료 장비 관련 장애 발생 시 이를 신속하게 해결하기 위한 프로세스. 문제를 식별하고 고장의 원인을 진단한 후 적절한 수리 또는 교정 조치를 실행하는 것을 포함한다. 이 과정은 다운타임을 최소화하고 장비가 환자 치료를 위해 운영되고 안전하게 유지되도록 보장하는 것이 중요함. 일반적으로 초기 평가, 문제 해결,

수리 또는 부품교체, 기능 확인을 위한 테스트, 그리고 문제 및 해결책을 미래 참조용으로 문서화 하는 단계를 포함한다. (The process for quickly resolving issues when malfunctions occur with medical device/equipment involves identifying the problem, diagnosing the cause of the malfunction, and implementing the appropriate repair or corrective action. This process is crucial to minimize downtime and ensure the device/equipment is operational and safe for patient care. It typically includes steps such as initial assessment, troubleshooting, repair or part replacement, testing to confirm functionality, and documentation of the issue and resolution for future reference.)

o 장비폐기(device/equipment Decommissioning): 더 이상 사용되지 않는 의료기기를 안전하게 제거하고 폐기하는 과정.(The process of safely removing and disposing of medical device/equipment that are no longer in use.)

끝.